DÍA NUBLADO, DÍA SOLEADO

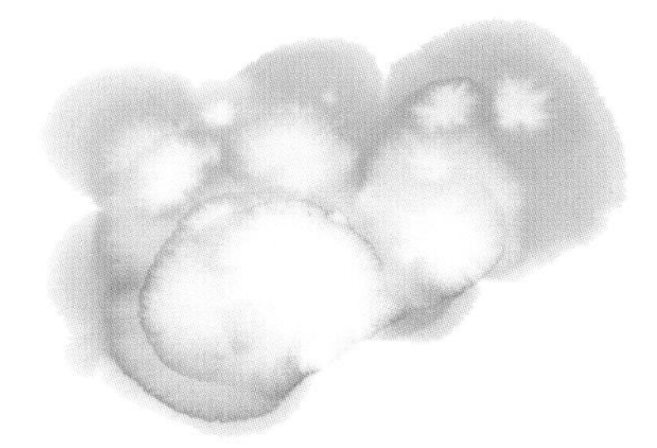

Dirección editorial: Cristina Arasa
Coordinación de la colección: Mariana Mendía
Edición: Mónica Romero Girón y Ariadne Ortega González
Formación: Javier Morales Soto
Traducción del inglés: Mónica Romero Girón

Día nublado, día soleado

Título original en coreano: 비가 올거야, 눈이 올거야

Primera edición: mayo de 2015
Primera reimpresión: abril de 2016

Insurgentes Sur 1886, Col. Florida.
Del. Álvaro Obregón.
C. P. 01030, México, D. F.

Ediciones Castillo forma parte del Grupo Macmillan.

www.grupomacmillan.com
www.edicionescastillo.com
infocastillo@grupomacmillan.com
Lada sin costo: 01 800 536 1777

Miembro de la Cámara Nacional de la Industria Editorial Mexicana.
Registro núm. 3304

ISBN: 978-607-621-220-2

Impreso en México / *Printed in Mexico*

DÍA NUBLADO, DÍA SOLEADO
Eun-gyu Choi • Ilustraciones de Hye-won Yang

MUNDO
MOSAICO

castillo
A Macmillan Education
Company

El tiempo cambia constantemente.
Algunos días son soleados y brillantes;
otros nublados, lluviosos o fríos.

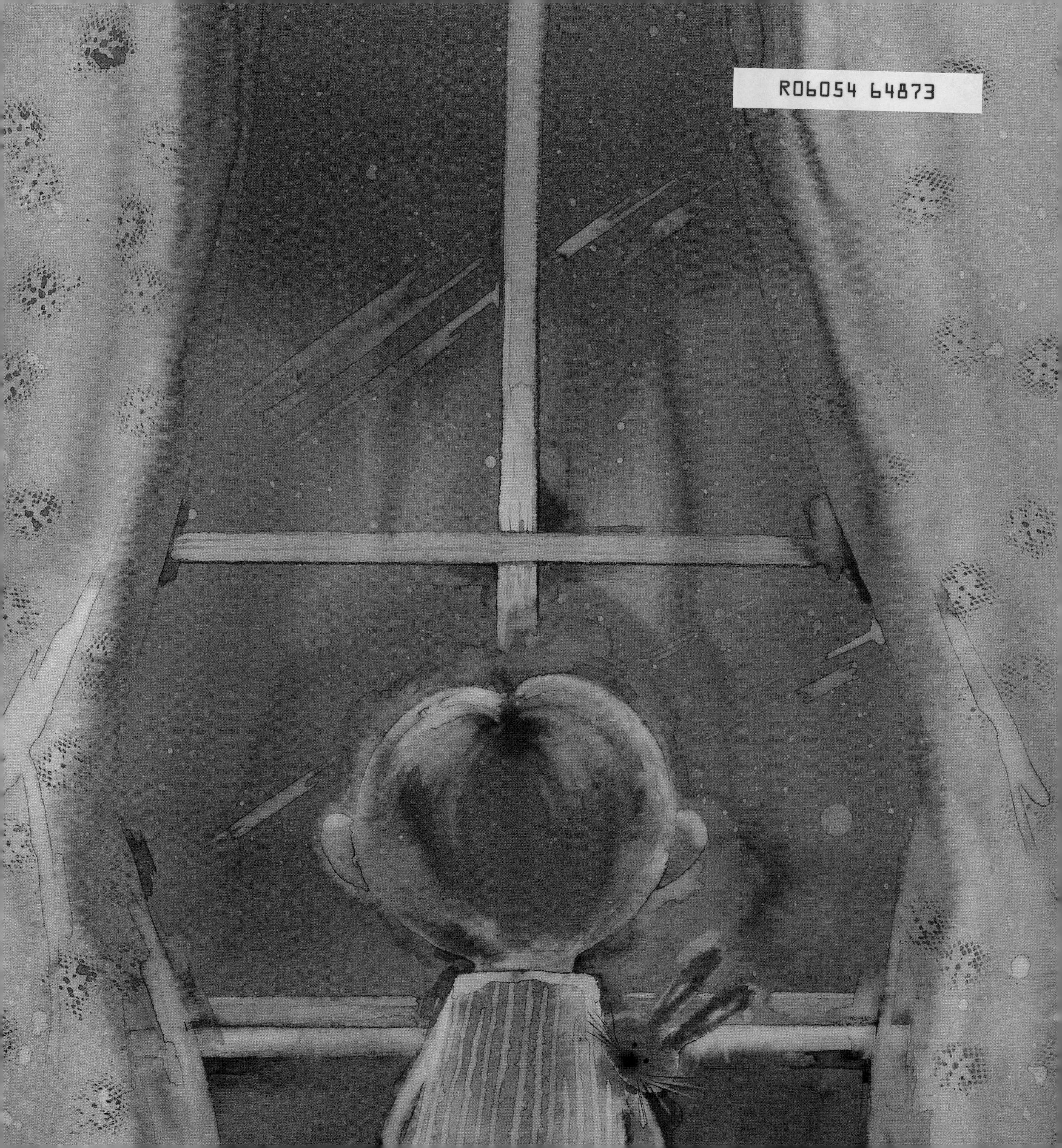

Cuando el viento sopla con fuerza
es señal de que se avecina la lluvia.

Entonces las hormigas se apresuran
a buscar un nuevo hogar donde
protegerse, pues saben que corren
el riesgo de que sus hormigueros se inunden.

El cielo se pone gris y las nubes llenas de agua
impiden que los rayos del sol puedan traspasarlas.
El día se torna nublado y no tarda en caer la lluvia.

En ocasiones, la lluvia se convierte
en una tormenta. Todo se estremece:
los árboles se agitan, las ventanas
se sacuden, las puertas se cierran
de golpe y el mar se inquieta.

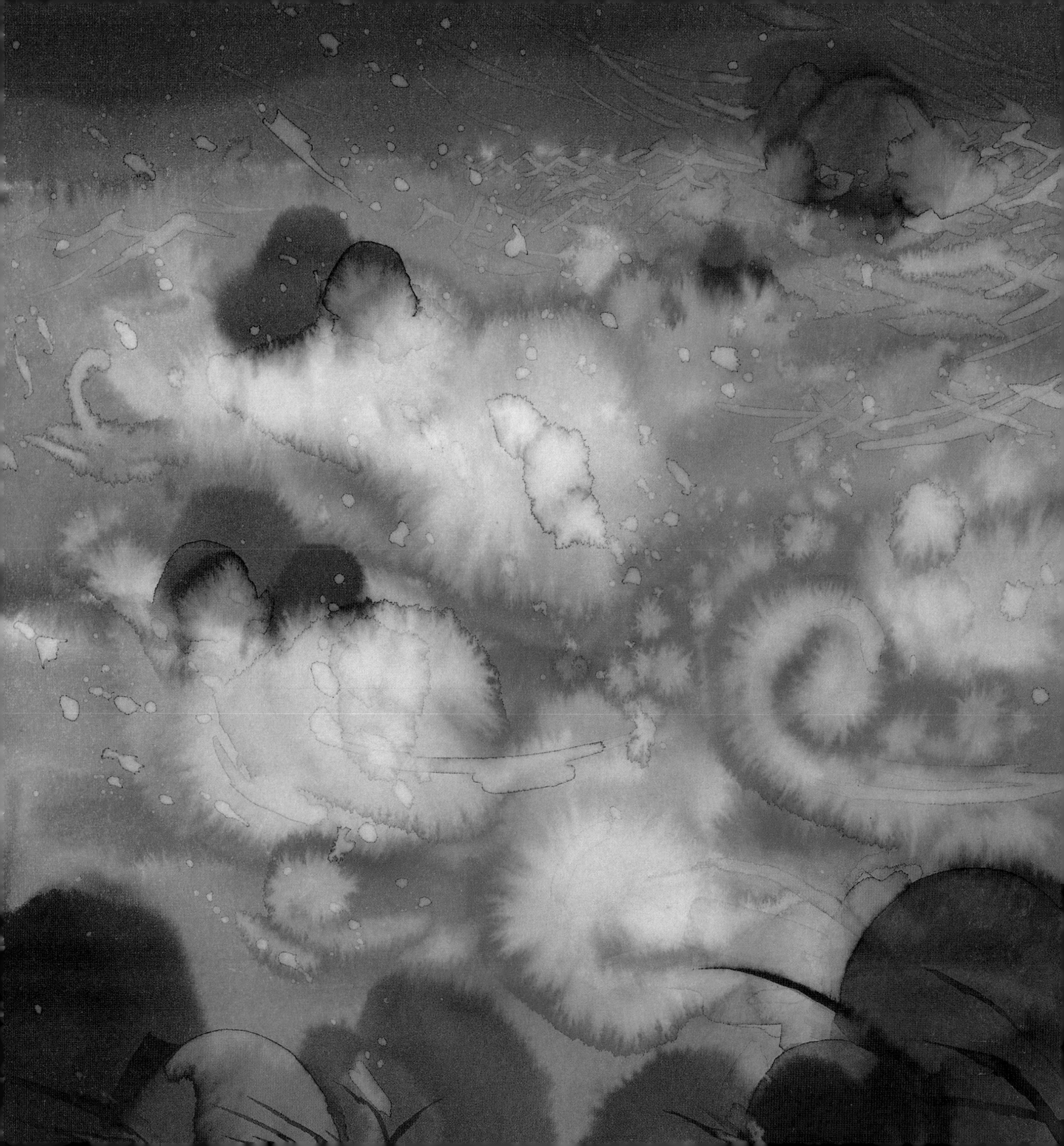

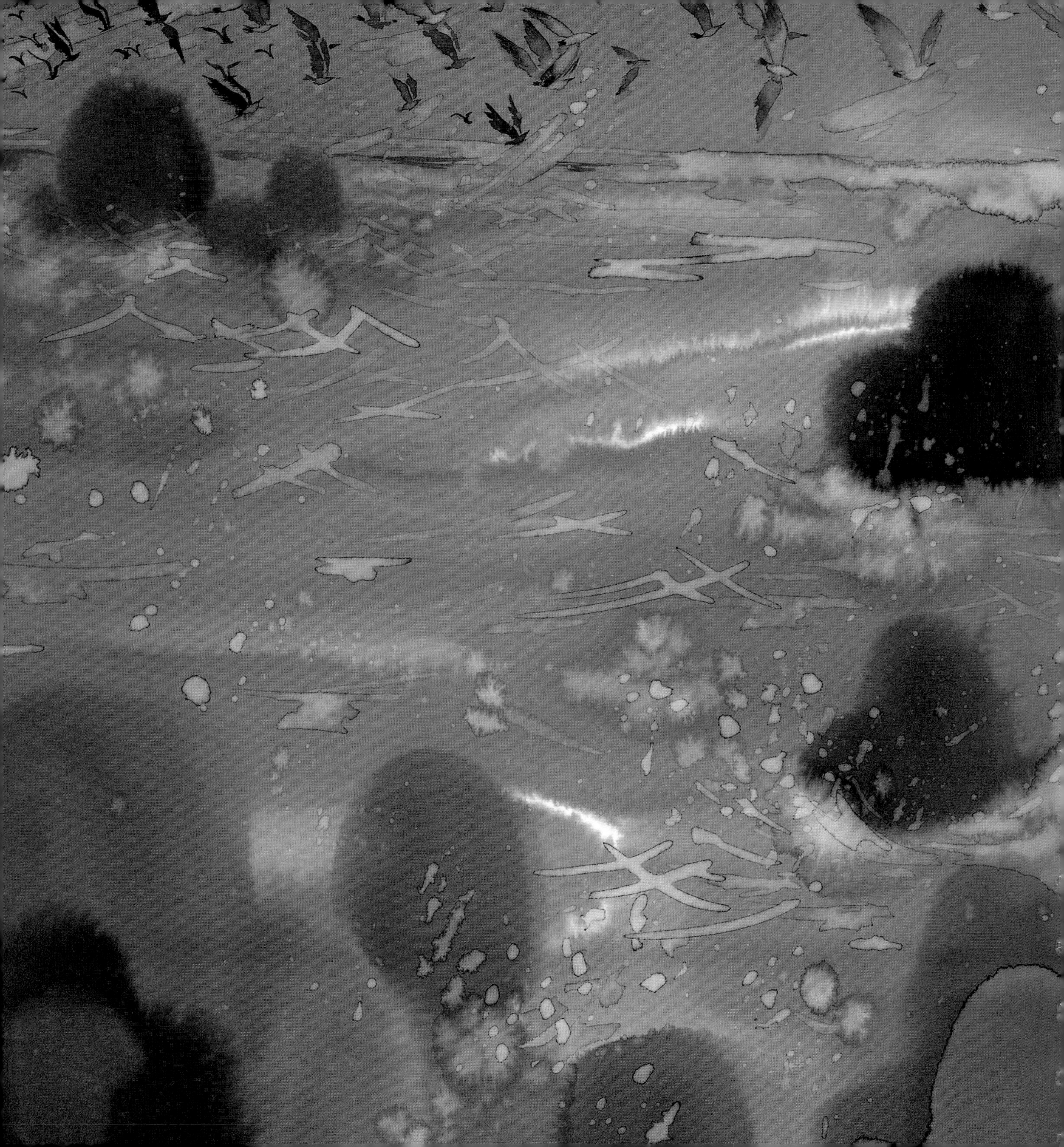

Las grandes olas se rompen contra las rocas
y las gaviotas baten sus alas con rapidez:
vuelan alto para resguardarse.

Cuando pasa la tormenta y la lluvia ha limpiado el aire, todo queda luminoso. Las flores lucen resplandecientes y las hojas se ven más verdes.

Luego de la temporada de lluvias, las hojas
de los árboles comienzan a caer y el tiempo
es más propicio para que las arañas tejan su tela.

Cuando comienza el frío, el pelaje de los conejos cambia de color, de gris a blanco. Esto les permite confundirse con la nieve y esconderse de los zorros y las águilas.

En las regiones donde nieva todo se pone blanco:
los tejados, las calles, los árboles…

Los lagos se congelan y es posible patinar sobre ellos. Las familias se divierten haciendo muñecos de nieve y jugando con los trineos.

Con la llegada de la primavera, los días
se hacen soleados y calurosos.
El cielo se pone azul y el sol radiante,
las libélulas revolotean sobre los ríos.

Los pájaros vuelan por todas partes y los árboles
reverdecen. Es la época perfecta para hacer
un día de campo y jugar con los amigos.

Ayer el viento sopló y despejó el cielo.
¿Cómo amanecerá hoy?

Impreso en los talleres de
Editorial Impresora Apolo, S.A. de C.V.
Centeno 150-6, Col. Granjas Esmeralda,
Delegación Iztapalapa, C.P. 09810, México, D.F.
Abril de 2016.